KB185462

지구가 멈춘 순간

정우진 시집

서정시학 시인선 217

서정시학

반은 몸을 맞댄 불꽃에서
반은 재에서
드립니다

서정시학 시인선 217

지구가 멈춘 순간

정우진 시집

서정시학

시인의 말

잎이 여섯 달린 잡초를 뽑아 온 아이가
자기가 발견한 것은 무려 잎이 여섯 개라 한다

옆에 꽂은 십 잎
저 나무는 백 잎, 천 잎 클로버

온 세상이 행운과 기적으로 가득한
자신이 찾아낸 경이를 선뜻 내게 주는

이 아이를
별아, 최대한 천천히 찔러다오

차 례

2부 흙과 뿌리의 교우록

3부 날개의 묘墓

4부 개미의 춤

1부

앨리스는 왜 이상한 나라에서 돌아왔을까

화가 나거나 슬프거나 우울할 땐 숲의 가장자리에 있는 우물에 갔어요 나무에 반쯤 덮인 우물은 바닥이 보이지 않았어요 우물에게 많은 이야기를 했어요 바닥이 점점 희미해져 갔지만 달리 방법이 없었지요

늘이란 말은 밀물 같습니다 말들의 총량은 언제나 그대로지요 말은 입 밖으로 나오지만 뿌리는 여전히 몸입니다 삼킨 말들이 심장을 빨아 가지를 뻗습니다

오늘, 내일을 그저 늘이라고 부르면 어떨까요
낙엽의 수고는 그 늘을 덧칠한다는 것

귀를 막으면 바람 소리가 들려요 오늘이란 말을 빨리 뱉는 연습을 해요 진정이 되지 않도록 쉬지 않고 뛰어요 우물에 도착하자마자 오늘을 뱉고 뒤돌아 귀를 막고 입을 다물어요 그날부터 돌아오지 못한 말들이 주변을 맴돌고 바람소리가 들렸습니다

광장에 모인 사람들을 기억해요 그들은 누군가 뱉어버린

오늘. 주인 없는 희망은 가지에 걸린 풍선. 눈동자가 균형을 잃고 흔들리던 때 사람들은 빠르게 그 '늘'의 균형을 맞추고 있었어요 내가 처음 갔던 날처럼 그날은 구름이 해를 가리고 있었고 이곳에선 여전히 낙엽은 녹색이었어요

입구까지 마중 나온 자는 없었어요 바닥이 멀어지는 이유는 점점 짧아지는 배웅 때문이었습니다 나는 아무렇지 않은 척 집에 와 옷을 갈아입고 창밖으로 길게 오늘을 불렀습니다 내가 들을 수 있도록 바닥이 부서지도록

달구멍

어둠이 썰물처럼 하늘로 빨린다
달이 서슬을 피운다
얼어붙은 하늘에 총구를 뚫고 시선을 겨눈다
지상에서 튀어 오른 성에가 하늘을 덮는다
상한 별들은 달의 뒤로 몸을 숨기고
달은 스스로 몸을 키워 죽은 별들을 품는다
제 몸에 싸늘함을 채운다 드문드문
바람이 불자 밤하늘이 펄럭인다
드러난 달의 몸이 별처럼 반짝인다
달은 밤이 밝을수록 차가웠고 그림자가 길어질 때마다
지상의 빛을 겨누며 환하게 별들을 지킨다
뒤통수가 간지럽다
파랗게 충혈된 눈과 마주친다
그믐의 눈이 깜빡인다
차가운 한 줄이 뺨을 스친다

개와 늑대의 나라

우리라는 말이 낯설다

사람과 불편은 이제 거의 같은 말

노이즈 캔슬링의
제거 대상은 나 말고는 전부

비집으며 실례한다고 말할 때
들렸는지 모르겠다
입만 벙긋거렸을 수도 있고, 또
누군가는 나한테 미안하거나 고맙다고 했을 수도

불편
불만
상처
죽음
우리의 탓은 아닌데
뉴스는 자꾸 무서운 얼굴들만 보여준다

도서관소음
커피숍소음
포근한 타인이란
적당히 저만치

너무 가까운 모르는 사람의 숨소리
너무 먼 집에 가는 길
내가 마음껏 다닐 수 있는 공간은 몸속밖에 안 남아
캔슬캔슬 귀 닫고 눈 닫고 입 닫고 걸을 따름이다

이것도 우리의 탓은 아닌데

이안류

핸드폰 지문인식이 자꾸 실패를 한다
어제와 오늘의 나는 다른가
교차로에서 반대쪽으로 가야 했을까

어제 그녀가 말했었다
푸름은 너에겐 너무 먼 재능이라고
희망은 사랑처럼 결국 거울에 대고 우는 거라고

불이 따뜻하려면 날씨가 추워야 한다
날씨가 추운 탓에 사랑은 먹고 죽을래도 없다
조명은 멀고 따뜻할 것 같은 착각 속에서 아름답다

곰팡이는 탄생이 아니라 발생
포자에서 포자로 터져 오르며 영원히
지구의 주인은 씨앗, 그것도 계속
독감은 타인의 체액에 의해 전염된다는데
나는 면역이 되어 타인의 눈물이 손바닥에 흘러도 몸살을 앓지 못한다

한강의 이쪽과 저쪽을 박음질한 다리
아치 철골에 이처럼 돋은 그림자
이글거리는 조명
아, 무리를 이룬 저 훤한 욕망

머리칼 같은 강물이 흐른다
썼다 덮는 것을 반복하는 캔버스
지우는 건 누구인가
나를 지워 흘려보내는 건 대체 언제의 누구인가

불 꺼진 방에서 없는 손을 꼼지락거린다
내 꿈은
처음부터 덮여져야 할 것이었을까
왜 밤마다 환상통은 꿈틀거릴까

달 없는 밤이 밝다
몸이 사라질 시간 없어
다시 태어날 시간이 없는 백야
하루, 하루

커피를 먹으니 재가 남았다
원래 살아있었다는 다잉 메시지
그 작은 바닥조차 다 채우지도 못하고
방 여기저기에서 거뭇거뭇하다

쨍한 오후
얼음을 에는 바람
아스팔트 위에서 마른 얼음들은 어디로 갔을까
12시 24분
매일 두 번
찰나의 크리스마스에 쏟아지는 진눈깨비가 뺨을 할퀸다

무지개는 언제부터 9개의 목숨을 먹고 자랐나

야옹아,

오늘은 겨울은 강철로 된 무지갠가보다라는 구절을 기도처럼 중얼거리고 다녔어

쇳소리를 토해보기도 하고
하염없이 걸어다녀도 보았지만
내버리고 싶어도 어딨는지 찾을 수가 없더라
사라지게 할 수 없어
삼켜버렸더니 다 퍼져버려서
내가 있다면 결국 사라지는 것은 아무것도 없네

늘 끝을 생각해야 해
너는 언제부터 목숨이 9개였니?
일주일이 9일이었던 때 처음 태어났었을까, 넌?
하루에 한 번쯤은 집에서 밥을 먹었으면 좋겠다 같은 것들을 포기할 때마다
한 번씩 추락하는 거였다면(우주에선 아래 위가 없고 지구는 둥그니까. 거기도 그러니)
오늘은 몇 번째 최후의 날이지

시간은 오고 있는 것이었어
초 단위로 재촉하기 위해 째깍거리는 것이더라
받아들이는 법
그것은
겨를이 없어지는 것, 지나치는 것이던데?
넘어져도 창피함이 먼저듯

최선을 다하는 것이 최선이라는 것 말고는 이제 남은 게 없다
강철이다
깡깡깡 강철 위에서 맨발이다

몸통만 남은 가로수가
줄기를 가지 삼아 잎을 틔울 때
난 그저 쓰러져 있었다?

지르는 광합성
그늘을 두르고 번쩍이는

오늘은 무슨 색일까

호모 비아토르

종점과 종점을 지납니다 수신지가 먼 편지처럼 행선지를 알고 있는 눈송이들은 급히 쏟아지는 법이 없습니다 바람이 긴 손을 건넵니다 적막寂寞이 소름을 떨굽니다

만월이 우각호牛角湖를 넘습니다 달빛을 덮고 잠이 든 민달팽이처럼 아침부터 눈 밑이 떨렸습니다 마지막으로 들은 그녀의 말이 눈동자를 찢고 돋아납니다 안타까워하던 눈빛이 우리의 마지막 여름이었습니다

밤하늘이 펄럭입니다 별들의 잠투정이 반짝거립니다 내일은 서리가 내리겠습니다

가지 없는 나무 밑에서 잠이 듭니다 바람이 붊니다 공중의 붉은 환상통 점자들을 더듬습니다 다음 해로 먼저 가는 잎들의 인사는 망설임이 없어 가볍습니다

익숙한 장소의 주소를 외는 것은 어색하지만 새봄을 품은 화석은 없습니다 맹렬히 돌고 있던 나는 나침반의 바늘이었습니다

별자리는 주인보다 먼저 생기는 무덤
오래된 무덤과 빈집에선 같은 냄새가 납니다
후천적으로

평장平葬

반포대로 157 싱크홀 옆
가로수가 줄기만 남았다
인도 끝 벼랑은 고작 한 뼘이지만
나무는 물러설 곳이 없다
기피忌避*를 모르는
사람의 자리 끝이기 때문이다
허락받는 건 기둥만큼뿐
객은 줄기 없이 잎을 틔운다
그늘을 안으로 한겹 한겹
실핏줄같은 나이테,
살아낸 횟수를 두른다
건성으로 뽑히거나 밑둥만 남았다가
무심하게 덮인 것들
그건 그대로 그대로라
해마다 연말이면
곳곳에선 무덤 드러내
뿌리를 걷고 잘라내고 지근지근
아무 일도 없는 듯 다져놓지만

---

* 수관기피현상: 각 나무들의 가장 윗부분인 수관이 마치 수줍어하듯 서로 닿지 않고 자라는 현상.

아랑곳없다
서 있는 것은 서 있는 대로
덮인 것은 덮인 대로
거리가 울퉁불퉁해지도록
우글거리는 흙의 정맥은 펄떡일 뿐
올해도 동네마다
깨진 보도블록 가득하고
오래된 평장터 모래만 남은 발밑 푹푹
무덤 자리 깊이깊이 자라겠다

유아원

가기 싫은 그늘을 얼굴에 드리우고, 어린이집 문 앞에 서서, 네 살 아이가 흰 얼굴 위로 열꽃처럼 울긋불긋한 눈가를 다리에 팔에 비비며 떼짓을 한다. 한나절이 기울도록 엄마를 앓는다는 이 아이를 일찍 찾아올 수 있는 이, 나비 한 마리도 없다. 슬퍼도 보이는 애착인형 눈가는 그러나 표정을 지을 수 없다.

나도 아는 아픔을 참을 새 없이 헐레벌떡 아이가 찾아왔다. 그러나 나의 낡은 세상은 아이를 할퀴는 저 바람을 모른다 한다. 나한테만 부족이라는 병이 있다고 한다. 이 지나친 시련, 이 지나친 피로, 나는 성내지 못한다.

자리에서 일어나 옷깃을 여미고 어린이집 가방에서 아빠가 사준 '헬로카봇' 시계를 꺼내 손목에 차고 어린이집 안으로 마음을 숙이는 아이. 나는 그 아이의 심정이, 아니 내 일과가 속히 끝나기를 바라며 번지는 아이 얼굴을 잠시 푹 끌어안고 전속력으로 모니터 위를 달린다.

이면지

1
골뱅이 소면에서 깨를 고른다
박사과정을 접은 친구가 오랜만에 전화를 했다
크게 반갑지는 않았지만 혹시, 만약 같은 단어들이 떠올랐다
하지만 역시 재활용된 격려들이 어깨에 얹힌다
얼마나 침묵하거나 부러워해줘야 이 상황이 멈출까
그의 입에서 '우리'라는 단어가 나올 때마다 '약관約款'으로 들린다
'정말로 나를 위해서라면 제발 좀 닥쳐줘.'

2
누군가와 마주하려면 버려질 것이 확실한 대답이 너무 많이 필요하다

3
어슬렁거리는 한낮의 공원
"유해동물인 비둘기에게 먹이를 주지 맙시다"
무리를 지은 자들이 떠나지 않을 때
스스로 이방인이 아니라 주장할 때

방치를 극복한 생명에게 함부로 할 말은 아닌 것 같은데
저 비둘기를 최초로 납치한 자는 어디서 자고 있나

4
나이 먹어 농사나 짓고 살까?
귀농은 아무나 하냐?
나는 서울에서 태어났으므로 고향으로 돌아가는 것은 아니다
그렇다면

5
여러 목적에 의해 뿌리째 옮겨진 가로수
알박이, 표지석, 가로등이 설 자리, 표지판이나 신호등 세울 자리 표시 등등
곧 다른 것이 설 예정인지 생의 밑동만 남은 플라타너스와 등걸 옆구리에 솟은 순한 아이
비둘기나 감자싹처럼 유해有害한 희망이 되었구나

6

나에겐 유산될 출력만 반복당하는 앞면뿐이다
폐휴지 [명사]: 못 쓰게 되어버리는 휴지. '헌 종이'로 순화.
"옛날 어린이들은 호환 마마 전쟁 등이 가장 무서운 재앙이었으나 현대의 어린이들은 무분별한 불법비디오들을 시청함으로써 비행청소년이 되는 무서운 결과를 초래하게 됩니다."
빛과 희망은 언제나 등 뒤를 밝혀 낮빛을 죽인다

7
매일 24번, 31분으로 아등바등하는 분침
차곡, 차곡, 차곡 떨어지는 시간
고개를 숙이고 추락하는 흰 등
또 어디로 갈 수 있단 말인가

바닥을 피우다

150년 만에 바닥을 드러낸 양쯔강 바닥
돌로 된 연꽃 하나

강은 꽃물이라
오래오래
생명을 먹이고 살리고 했던 것

나는 무엇이길래
온통 멍 같은, 흙 같은 물때 투성인가

그날 이후
하루 걸음의 메아리가 귓가에 깡깡거리는 밤에는
눈물 대신 마른 한숨 나올 때까지
샤워기 아래서 한참 우는 것인데

아무것도 하지 않아도 아무렇지 않은 하루나
가만히 누워서 보는 밤하늘
조용히 솟는 입꼬리 같은
주먹만한 돌 한 덩이 같은 부러움을, 바람을

드러난 내 바닥에 씨앗으로 두고 오려고

이진법
— 일 더하기 일

목표가 '행복'일 때부터 불행은 시작되었다
상대적이라는 말, 저기 행복이 있다는 말은
그 간극은 결코 메워질 수 없다는 점에서 보이지 않는 어떤 현실을 이룬다

내 이름은 C815 C6B0 C9C4
1남 1녀, 10(일영)명 중 막내

모르겠는 저 수數와 자字는 공식적公式的인 문자文字
불수의不隨意의 흐름의 실체實體
보이지 않는 현실現實

손가락 열 개 달린 사람의 수數와의 차이差異를 인식認識하여 변환變換하는 것은 오히려 왜곡歪曲
'='의 앞뒤는 같고 내 손가락은 1010개가 아닌 10개

한 사람이 있고
한 사람을 만날 때
일 더하기 일은 2가 아닌 열

두 사람이 살기 위한 일은 열일
두 사람 중 한 사람이 0이면 1로 남지만
0을 누가 만나
0+1+1(0)=열일이 되는데
두 사람이 모두 오롯이 하나일 경우는 만나자마자 열 손가락을 다 채우고
하나가 늘면 손가락이 모자르니
거기에 갖고 싶은 것이 한 개면 하나지만
두 개면 열일
부부가 애를 하나 낳고 갖고 싶은 게 두 개일 때 합치면 5니까 백하나의 일(101)

衣
食
住
세 개만 해도 열하나일(11)
보이지 않는 현실에서 빠져나오지 못하는 한 해야 할 일은 늘어만 간다
게임은 시작될 수 없다

간헐적 단식

형, 신은 있을까요?
뭔 소리냐, 술맛 떨어지게
그냥, 태어났으니까 살긴 살지만 그래도 시인의 생각은 좀 다를까 싶어서요.
시인도 배고프다…
뭐, 삶은 우연의 시뮬레이션 같은 거라고 생각해 본 적은 있다
이렇게도 해보고, 하나 빼도 보고
똑똑한 악인, 금수저 부모 살인자, 뭐, 그런
우연이 죽음이라는 결과를 생산하는 치명적인 요소만을 선별하려고
그러니까 사는 건 살아내는 것에서 의의가 생기는 거랄까
그렇지 않으면
60년 동안 새벽의 일부였던 어느 가장이 하루아침에 재가 돼 버리거나
배고픔을 빨고 자란 풍요의 괴물이 별 상처 없이 다시 거리를 돌아다니거나 하는 일들,
또 어떤 손바닥만한 주검들이 어떻게 설명이 되겠어?
이유가 있다면 그게 납득은 또 되겠고?

그저 어떤 식으로든 결과물이 되는 거지, 유의미한.

오…….

말이 나왔으니

그래서 다른 사람이랑 같은 삶을 사는 것은 죽은 거나 마찬가지야

완성이 안 되니까

이미 죽은 삶을 경험하는 거니까

오…… 등단하시더니 어려운 얘기를 더 어렵게 하시네요.

그럼, 저는 죽은 건가요?

아니지, 지금 나랑 술 먹고 있는 건 너뿐이니까 넌 나한테 유일한 거지

그러니까 오늘을 살고 내일을 살고 하면서

최소한 운전을 하거나 길을 가거나 할 때 욕을 하거나 욕을 먹거나 하더라도

나는 어떤 과정과 결과가 될까 생각해 보면 최소한 저 짓거리들은 하면 안 되는데 말이야

무슨요?

저기, 저

꽃의 나이테

멍든 그늘을 뚫고 피어나는 한 송이

당신을 닮은 달이 올랐다

밤은 사방으로 둘러 있다

향기가 새벽에서 새벽으로 오늘을 옮긴다

어느 뜨거운 입김이 또 하나 닿아

달무리가 한 칸 커졌다

짧은 해를 보낸 너는

몇 마디 대신 소리 없는 비명만 지르다 갔지만

하루하루 고요히 피어나는 저 달이

매일 너를 듣고

시린 달무리를 키운다

너로 인해 까마득한 칠흑을 건넌다

자가면역질환

한 동네에 하나 정도는 유난히 붉은 나무들이 있다
코끼리들처럼 새들도 묘지가 있다면
그곳일 것이라 생각했다

해마다 잎들은 노랗고 붉게 물든다
서행, 멈춤 뒤는 항상 겨울

모르는 새
상관없어질까봐
너무 많은 것들이
많은 비명들이
하루도 채 지나지 않고
저렇게 사라져버릴까봐

가끔 모르는 눈물이 난다

아직 살아 있는 구석에서

2부

지구가 멈춘 순간

이 세계의 모든 것
지나는 사람들의 들숨과 날숨
놀이터를 채우던 웃음
바람이 구름을 스윽 쓸거나
자전과 공전이 만드는 백색소음같은 것들이
잠깐 멈추는 그런 때

그것은 누군가에게는 정말 사랑받던 사람이 사라진 순간
지하철이나 신호등 같은 데서 지나친
나라는 전체의 일부가 된 사람의 숨이 사라져
잠시, 나를 이루고 있는 모든 흐름들이
내가 수정되기 직전의 그때로 돌아간
묵념의 시간

사라진 이가
어제 보았던 작은 고양이
신호를 기다릴 때 보았던
가지가 다 잘린 플라타너스
한참 보지 않았던

어떤 시인이 아니기를
내 소중한 사람들을 돌이켜보기도 하고
어딘가 전화를 하기도 하는

지구 위의 그늘이 잠시 투명해지는 순간

소리는 자란다

물은 거울이다
한 방울이 떨어질 때
하늘이 담긴다

쑤욱 흙으로 하늘이 빨린다
나무가 빨리거나
지나는 사람의 얼굴이 담긴다

담긴 나무며 사람이며 하늘이 물속에서 자란다
반사는 투영이며
아래로 자라는 것은 위로 자라는 것이다

내 소음이 저 소리들을 상쇄한다
안에서 자라는 것이 없어
얼굴이 안 보인다

물속의 새가 바람의 소리로 운다
하얀 고요
소리가 자라는 소리다

흙과 뿌리의 교우록

흙은 뿌리와 친하다
뿌리는 흙에게 친절하다
흙에게는 양분이 있고
뿌리는 결코 양분을 전부 갖지 않는다
아무것도 없는 흙은 흙이 아니므로
흙이 아닌 곳에 뿌리는 없으므로
순이나 열매 몇
순종적인 어린 죽음으로 양분의 일부를 되돌린다
흙 위로 흙의 넓이만큼 나무가 자라는 법은 없다
나무는 나무끼리 식육목食肉目처럼
서로의 영역에 충실하다
나무들은 위로 자라고
뿌리는 흙만큼 깊고 평평하게 뻗어나간다
흙에는 높이가 없다
0부터 시작된다면
흙의 최대 높이는 0이다
가끔 우리가 산이라 부르는 꼭대기의 흙도
0이다
흙은 뿌리와 친하다

뿌리는 흙에게 필요한 만큼 친절하다
바람은 양분의 빈자리에만 허락돼
흙의 동맥에는 여우볕이 반이다
흙에게는 암수가 없다
흙에게서 어머니를 상상하지만
스스로 성별을 가진 적은 없다
흙은 스스로를 키운 적이 없고
여기저기서 한데 모인 것들
흙이라 불린다
그래서
흙은 자신을 본뜬 새끼를 낳아 기른 적이 없다
무한한 가능성
이 유일하면서 슬픈 정체正體위에서
나무가 자라고
건물이 오르고
사람들이 다닌다

기항지寄港地

낯선 오후들이 사라진다

매리 제이 앤, 수지 리처드슨……
그녀는 뜻을 모르는 단어를 중얼거리는 중이다
처음 온 해변에서

오래된 레드 트렌치를 다시 꺼내 입고
썰물에 끌려간 달빛이 자신을 향해 흐느끼길 기다린다

하루가 모두 새벽이었던 시절이
티 쪼가리 목처럼 늘어지고
노을에 쉽게 젖어
오늘이 어제에 자꾸 얼룩질 때
발이 잘린 오리처럼 가라앉았다

유성에게 빌었던 소원들은 결국
모두 식욕에게 바쳐진 것이라는 것을 알아버린 첫 밤들 이후

아무도 좋아하지 않는 건 어쩔 수 없지만
누구냐는 의문들이 사라지는 것은 참을 수 없었다

마침표는 다 타고난 후 남겨지는 한 점 재
태양에게 뜨거나 지는 것은 방향의 문제
붉은 두 눈은 여기에 묻히지 않을 것이다

그늘의 생장점

옆구리로 바람이 분다
서 있는 곳은 늘 그늘
오래 오래 차다

사람의 여름은 여전히 뜨겁다
열기는 협곡을 따라 복사될 뿐
허락될 때까지 사라지지 않는
담합된 계절이 지난하다

4월부터 덥고
10월부터 춥고
여름, 겨울, 또 여름
성장과 안락이 비대해지는 사이
자취를 잃은 희망과 열매
빌딩과 빌딩 사이
풍화로 모래들이 꽃받침인 척 차오른다

빌딩들이 높아질수록
서류 조각들이 사방을 다니다

서로 얽혀 썩어가고
태양은 언제부턴가 주저앉아 있다

짧아지고 길어지는 걸까
배어 나오고 스며드는 것일까
차곡차곡
발밑의 그것은

습벽의 숲

오토바이가 지난다

습관처럼 저주를 날렸다
그 사이 여러 오토바이가 같은 길을 따라 흘렀다

아래로 자란 담쟁이를 치고 지난다
중력을 오르듯 아래로 향하는 이들
위도 발밑도 허공이라
태어나면 발 대일 곳부터 찾느라

틈에서 틈으로 길을 내듯 한 무리가 지난다

익숙해진 저 몸부림
이리로 저리로 궁리하는 몸부림이 벽을 오른다
산양도 처음부터 절벽에서 잠을 자진 않았을 것이다

깜빡이가 한쪽만 남을 때까지
오랫동안 비상상태를 지나면서 쌓인 습벽

또 한 무리가 지난다

거리가 온통 절벽이다

신의 한 수

돈이라는 Demi-God
권능의 정체는 아이러니
신을 배반한 유일한 자
반대편의 유일신
제3세계 망명 총체 지구
일상이 되어버린 금수저의 찬란한 발광

토니 스타크는 조만장자
브루스 레인과 이재용이 다른 점은?
아이언 호크와 블랙 위도우는 공무원
우주 제일 초능력자 닥터 스트레인지는 뉴욕에 대저택을 가진 의사

그런데
앤트맨이 되고 싶진 않잖아?
내가 그 역설에 합류해봤자 나의 정체는 피터 파커
손목에서 쏴대는 유기화합물을 벌기 위해 셀카를 찍어 팔아야 하지
여기도 저기도 아프리카

정글!
금수저 고딩은 초능력 따윈 없이 문상으로 중딩을 사는데
하긴 금수저 능력자는 그린 고블린이 되었구나
가만, 슈퍼맨은
외, 계, 인

금수저도 아니고
천사나 악마도 외계인도 아닌데도
열대 우림에서 버티고 있는
그, 한, 수

무릎의 무늬

1
숨어든 한쪽 눈이 흰 고양이를 입양했다
어느 날부터 고양이는 점차 죽어갔다
점점 털이 빠지며 작아졌다
나는 어느새 달리고 있었다
손가락으로 가슴을 눌렀다
눈을 뜨는가 싶더니
플라스틱 눈이 툭 빠졌다
잠든 아내의 손가락을 잡고 있었다

2
서로가 점점 사나워질수록 서툰 크레바스 너머로 달아났다
이제는 말하는 법을 버려
서로 닿아야만 읽힐 수 있었을 텐데

포스트잇에는 바닥까지 꾹꾹 누른 흔적만

안녕

그냥 다 가져갔구나

부서져라 파고들었지만
닿지 못했던 말들은

3

아침까지 서로의 등고선 사이를 헤매다 터진 웃음을 기억한다
그 소리가 우리 이름을 동시에 부르는 것처럼 좋았다

4

집은 모르는 소리 투성이. 바랜 벽의 환한 민낯이 나를 부르던 목소리처럼 희다. 사진의 그곳으로 갔을까.

수런거리는 글자들을 피해 침대 끝에 눕는다
어깨에서, 옆구리에서 번진 것들이 등에 닿는다
부르려다 삼킨 내 이름. 혹은.

옷장 앞 네 무릎의 무늬만 바스락거린다

새끼손가락이 두근거릴 때

지하철에선 일부러 한 손으로 책을 본다
마른 손에 잡힌 문장들이 퍼덕거리면
비늘 내[香]가 난다

지하철이 멈추는 순간
흔들린다
에이야프야틀라이외쿠틀*
괴괴한 이것은 먼 나라
가끔 자다가 놀라 소리지를 때
나오던 이름
실은 내가 지나쳐 버린 환승역은 아니었을까
길을 가다가 문득 악소리를 내고 싶을 때
어디로 가고 싶은 것일까

얼기설기한 거미줄 속으로
쉼표 몇 개 밀어 넣을 수 있다면!

소금기 어린 소음 속

* 아이슬란드에서 6번째로 큰 빙산.

그 안에 어느 섬, 강가, 언덕, 해구들 이름 흔들릴 때
낡은 해도에서 벗어난 고래를 꿈꾼다

진화

빈대 벼룩 잡다가 초가삼간 다 태운다?

얼마나 저주스러웠을까
이러려면 차라리 죽는 게 낫겠다 싶었겠지
나도 나지만 애는 못 참지
초가삼간이 사면초가
너는 선을 넘었어

가랑이가 찢어진 게
설마 황새를 좇았을까
오늘에서 내일로 가다
험한 세상 오체투지로 다리가 되어
손끝 발끝에 모래가 박힌다

내 손톱 밑에 가시가 제일 아프지
박혀 뚫고 나가지도 빠지지도 않는
가시는 피를 먹고 쐐기처럼 점점
손가락으로 하늘을 가릴 만큼

언 발에 오줌을 누고 누고 또 누고
재 넘어 사래 긴 밭은 언제 아파트가 되었나
또 어디로 가지
발 있는 말도 없는 말도 먹고 죽으래도 없는데
천리를 돌고 돌고 돌았는데

웃는 얼굴에 침이 닿지 않는 언택트 시대

한 우물을 파니
누울 자리
저~기 위로 보이는 구멍이 그 유명한 솟아날 구멍
호랑이 아가리겠구나

날로 삼킨 내가 부담이 됐는지
쏟아지는 소화제

이번 혁명은 4차?
언제까지 어깨춤을 추어야 하지?
두 다리는 이미 다 잘라 먹혔는데

사건의 지평선*

지하철을 타기 전
비가 내렸다
늦게 핀 벚꽃이 걱정이었다

계단을 오른다
반성에 대해 게으른 동안
자루처럼 불룩해졌다
병을 유발한다지

계단 끝에 빛이 있는 것은 아니다
많은 어려움이 그렇듯
끝을 알 수 없는 것은 불행과 무관하다

대낮, 퇴적층처럼 솟은 계단
오르리라
이겨내리라
누구에게 이야기하겠는가
푸념은 전염된 것이 아닌

---

* Event horizon. 블랙홀의 바깥 경계. 이 선을 넘어가면 그 어떤 물체도 다시 되돌아올 수 없다.

각자의 습관에 따라 중독된 것

벚꽃은 비바람에 별일 없이 고왔다
떨어지는 꽃들은 때가 된 것뿐

고개 숙이고
볼륨 높여도
끊어질 듯 숨차다
바다가 보이지 않아도
나름의 높이로 나아간 걸음은
저마다의 1층을 갖는다는데

지상에서 멀수록
희박한 공기로
근육과 뼈가 약해진다고 한다
질병도 유발한다지

위로든
아래로든

빨간 구두를 신어야겠어요

빨간 구두를 신은 저
제 몸만 한 짐을 메고 계단을 오르는
왠지 슬플 것 같지 않은 사람

나뭇잎의 그림자를 녹음이라 부르듯
저 발에 매달린 그림자는 검고 검을 수 없는

슬픔이 어디 있는 것일까
머리, 가슴, 배
즐거운 생각을 하고 마음을 안심시키고 맛있는 음식을 먹어도 보았지만
사라지진 않고

어느 불야성의 거리
사방에서 쏟아지는 빛을 먹고
펼쳐진 내 그림자
거기, 나의 바닥에

배어 나오는 것과는 같이 살아야 하는 것

그래, 빨간 구두를
빨강, 파랑, 초록, 보라색 구두들을 신고
내 그늘을 모두 섞인 검정으로

절대로 슬픈 사람의 것일 것 같지 않은
다른 계절의 그늘 아래를 지나는 발걸음이 되도록

동글 동글 동그라미

종일 눈이 온다
종일 새벽같다
여기서 저기로
다시 저기로
때마다 하루의 시작같다

사람이 만든 숫자
사람이 만든 시간
늦은 밤이나 이른 아침에 대한 단정

너무 중독되었다

종일 눈이 내린다
검게 줄줄 흘러내리는 눈물
수요 없는 결정은
얼마나 번거로운 것인가

뛰어다니는 아이
아직 아무것도 부끄럽지 않은 저 아이의 가슴 속에는
일요일을 마지막으로 둔 달력

일요일을 처음으로 둔 달력
어느 것이 있을까

어쩌면 홀로 앞서가던 이의 배려일지도 모른다
시간을 둥글게 말아드리지요
우리는 다만 아무 것도 끝내지 않아도 되겠습니다

절벽

혼밥은 맞은편이 벽이라는 것

자려고 누우면 달그락거리는 불안
눈앞을 가득 메운 것이 천장이란 것을 알아도
쉬 눈 감을 수 없다는 것

그 여섯 개의 벽을
아무도 책임지지 않을 거면서
절벽으로 딛는 새끼발이
스스로의 결정이라 혀만 차는 것

심각한 척하는 표정에 가로막혀
곡소리조차
벽으로, 벽으로
메아리치다 사라질 예정이라는 것

우연의 지평선

지렁이 들어간 자리
개미 들어간 자리
살려고 들어간 자리마다 봉분

무덤을 쓰는 동물은 사람뿐
그저 고향이거나 어머니의 옆
천사로 태어나 아직 인간으로 자라기 전이었으니
네 동그란 무덤도
죽을 것 같아 살려고 들어간 자리겠구나

천재지변처럼
살고 죽는 것은 다 우연
만약 일말이라도 계획이 있는 것이라면
어떤 손바닥만한 무덤들은 지나치도록 납득할 수 있도록

천국,
그들만을 위한 고향을 이르는 말이기를

3부

허공의 이름

허공이라 써놓고 한참을 보았다
잡을 것과 너무 닮아서
밟은 길처럼 너무 달콤해서

몇 개 비유를 시도했다 다시 두 자만 남긴다
허공 두 글자가 허공에서 성가시다
허공이 허공일 수 없을 유일한 이유는 꿰매진 이름

ㅇㅇ이라 쓰고 ㅇㅇ이라 읽는다로 여러 말을 연습하는 건
일종의 걸음마

화단에 잘린 가지들이 보고 싶다
잘해줄걸

가지 자리를 쓰다듬는다
또 많은 것이 잘려질 것이다

한바탕 논 아이가 뛰어온다
너무 재밌어서 머릿속에 호수가 들어온 거 같단다

세상은 결국 작고 지나치게 반짝이는 보석상자, 상자
뭐가 들어있다고는 안 했다

저녁이라 쓰고 배고픔이라 읽는다
입이 있는 것들의 천형

호수에 뛰어든 사람이든 아니든
현실은 모든 것의 본명
돈을 집어 넣으면 지갑
칼을 넣으면 칼집

허공이라 써놓고 한참 본다
삼켜버렸다
빈집이 되었다

π

일생을 걸쳐 범죄를 연구한 학자가 있었다 모든 것을 걸고 이 나라를 구원해보겠노라 다짐했다 왜 인간은 자신의 아이조차 죽이고 죽거나 죽일 자를 강간하고 나이든 자를 먼저 굶길까 그는 다양한 조건들을 인간과 가장 닮은 쥐에게 부여해 보았다 오래 굶기거나 사나운 녀석들이 나타나면 피비린내가 나기도 했지만 한통속의 생존을 위협하지는 못했다 실의에 빠졌다 과연 인간은 유일하여 해석할 수 없는 것인가 모든 것은 그저 개인의 잘못일 뿐인가 한계에 부딪혔고 울타리와 먹이통을 모두 열어주곤 두꺼운 유리로 된 유일한 출구를 막고 떠났다 몇 년 뒤 비린내와 긁는 소리를 따라간 버려진 실험실 피안개 자욱한 속에서 그는 마침내 발견할 수 있었다 층층이 우글거리는 쥐들은 먹이는 쌓아둔 채 발치에 치일 때마다 어린 것들을 잡아먹었다 작은 것은 이빨 채로 입에 든 것까지 빼앗겼다 대상의 탐색 없이 교미했다 원인이 무엇일까 고민하는 사이 기형과 질병 정신이상과 싸움으로 서로에게 치이는 일이 사라졌다

더 이상 아무 일도 일어나지 않았다
연휴의 1호선처럼

햇살의 로드킬

긴 비가 왔다
여기저기 지렁이가 죽어 있다
물살에 휩쓸릴 각오로 화단에서 도로까지 밀려온 것들도 있다

사람이 생기고 길이 생겼다
집이 생기고 도로가 생기고 시멘트 위 얕은 흙이 생겼다
영문도 모르는 사이 생긴 틈
나무에서 나무로 달팽이
화단에서 저편으로 지렁이
도로에서 경계 너머로 붉은 게들이
산 너머 산으로 비둘기, 꿩, 고라니, 멧돼지가 지난다

좋아했던 것들이 일이 되면 즐겁지 않다는 말이 부럽지만
유목은 스스로 양분을 만들 수 없어 생긴 의례

땀으로 얼룩덜룩 탄 손등으로 빗방울이 떨어진다
희망에 의해 아직 나는 죽지 않았다

월식의 역사

한 나라가 있었단다
푸른 평원, 검은 성을 중심으로 사람들이 살고 있었지
성만 희미한 빛을 갖고 있었고
평원의 풀들은 그림자처럼 자랐어

머리칼처럼 출렁이는 풀들의 밤
성 사람들은 빛을 따라 움직이는 풀들이 무서워졌고
문을 잠그는 버릇이 생겼어

평야에서 닭들이 내내 잠만 자기 시작한 뒤부터
지나는 사람들의 발이 걸려 넘어졌어
손길을 피하는 풀들은 투명했고
드러난 땅은 검고 딱딱했어

손을 피해 풀들이 도망치는 것을 본 사람들은 하늘을 밟듯
물구나무로 걸었어
성에 다다라 돌아보면
풀들이 꼿꼿이 서 있었어

잠긴 창문을 향해 풀들은 성벽을 타고 자랐고 사람들은 마침내 떠났어

성은 풀들로 뒤덮였어
은빛 풀들은 하늘을 향해 사납게 솟았어
바람이 불면 물결치는 공중은
풀들이 하늘로 좇아 올랐기 때문
달이 사라지는 것이 반복된 것도 그때부터였어

이건 월식의 이야기
검은 성을 몰아내는, 물결치는 은빛 함성의

골목의 폐업

한낮의 대로는 골목 같습니다 어두워진다는 것은 발자국들이 쌓이는 것 검정은 무서워요 상태니까요 틈과 틈, 시간은 너무 멀리 있습니다 청소차는 동네마다 지나는 때가 다르지만 언제나 경계입니다 어제와 내일 사이 미어터지는 여백들은 오늘을 감당해왔습니다 같은 시간에도 길이와 진하기가 다른 그림자는 저들의 뒷굽이 왜 서로 다른지를 말해줍니다 나무들 흐느적거리는 대낮 고장난 강성剛性때문에 거리는 환상통들로 번쩍입니다 흰 거리를 박박 채우면 여백은 스스로 마침표가 될까요 거리는 서로 번쩍이는 것들끼리 가로막아 그늘집니다 긁힌 틈으로 새어나오는 색들을 봅니다 질끈 집에 들어가기 전 삼켰던 말들이나 떼를 쓰다 주저앉은 복숭아 자국 때문에 멍치가 출렁여요 검은 물이 흘러요 시끄럽습니다 소리를 지르려 나왔지만 걷기만 합니다 눈을 감으면 보이는 것은 내가 볼 수 있는 유일한 나의 안 여러 겹의 흰 거리를 꾹꾹 채우면 틈새는 스스로 별이 될까요 낮의 골목은 대로 같습니다 어두컴컴 나는 눈을 감고 있어요 아마도

백반

살기 위해 먹는 것에
사는 기쁨을 더하려는 정성이 희고 곱다

그 마음은
어버이나 자식이 되자 만들어지는
지위가 아닌 삶에 대한 작정이어서

같은 시간에 입을 벌려 먹이를 마주하는
나뭇잎이며 개미며 나비며 저기 어떤 개이며 하는 것들과
둘러앉은 입들처럼 나란해진다

해가 뜨고, 해가 높고, 해가 질 때를 따르는 밥때
해를 따라 그 먹음으로 사람은 순환 속에 놓인다

이 나란함에는 차이가 없고
어떤 이들도 지금 배가 고프겠구나 하는 마음은 당연해진다, 그렇게

낳아준 분은 몸의 어머니이지만
배고픔은 공생의 어머니이다

문득 이유 없이 느껴지는 허기가 있다
나란함의 어머니가 슬퍼하지 않도록
어두운 골목들
배꼽이 지워진 채 마른 뿌리처럼 사라지지 않도록

태어날 때 받은 것 1

책들을 정리한다

이런 게 다 무슨 소용이람
볼 것, 본 것
하나, 둘
지난 기억에 기흉이 생긴다

와르르 넘어지는 칸
지난 며칠처럼

듬성듬성
버티는 하드 커버

그렇게 쓸 데 없다 했었는데
처음 널 만든 사람의 마음이
안아 일으켜 줄 외골격이 되었나

소용없다고 생각했던 말들이 떠오른다
나는 사랑스런 사람이었다

꿈도 많았다
꼭 그것이 내용이 될 필요는 없을 수도 있겠다

나를 사랑해주는 사람들이 해줬던 말들을 새겨본다

차용증

맛집을 고민해 밥을 먹고
몰래 예매를 하고
정성스레 준비한 선물을 건넨 날
썰렁한 농담에도 깔깔대던 여자가
울고 있다

싸우거나 큰 잘못을 한 것은 아니다
하지만 잘못이 없는 것도 아니다
결혼에 대한 이야기를 해버렸으니까

헤어지는 것은 싫었고
때론 결혼이 하고 싶다고도 했지만
형편에 맞춰 열심히 살자는 얘기에
결국 또 울게 된 사람

일부러 불행해지고 싶은 사람이 있을까만은

뭐가 그렇게 슬퍼?

어떻게 슬프지 않을 수 있어?

아무도 일러주지 않았던, 그러나
이미 알고 있던 수심水深으로
입꼬리처럼 무너지는 오늘

놀기를 포기하고, 일찌감치 기술을 배웠다면?
술이나 여행 같은 것들을 모두 포기했다면?

하루는 영수증 아닌 차용증
내려놓은 곱창만 타들어 간다

만유인력 계산법

아파트 담벼락에 매미 유충 껍질이 붙어 있다
벽이 생기기 전
이 아래 어딘가에 단단한 뿌리가 있었겠다

새 키보드에 적응한다고
적어 놓은 몇 줄

안녕하세요. 저입니다.
다시 만나 반갑습니다.
앞으로 잘해봅시다.
그럼, 이만.

사랑 위로 쌓이는 것은 낯설음

기대거나 기댈 나무 대신
벽이 되었다고 해도
그 여름 내내 외치다
심어 놓은 약속은 여전

서툰 거리감
휘청거리는 궤도

낯설음까지 쌓여 뚜렷해지는 것은
부분 부분의 너와 무게

방구석에 신던 양말을 심듯 모아 놓는 너도
치약을 중간부터 쓰던 너도
안녕하세요
앞으로 또 잘해봅시다

생활의 발견

현관에 다른 방향으로 놓인 신발을 본다
한 짝은 부엌으로
한 짝은 안방으로

커피를 한 잔만 타거나
집 안에서도 이어폰을 끼는 일이 잦아지기 전
반듯하게 신발을 벗었던 적이 있었다
물을 마시면 물을 마시고
방에 들어가면 방에 들어가는
서로에게 나란하던 발길이

나는 아이를 줄 물을 가지러 가고
아내는 아이와 방으로 간다

다른 방향으로 아이를 향해 간 우리
아내는 기저귀를 갈고 있고
아이는 기저귀를 갈다 몸을 뒤집는다

환상엔 예행은 없어 당신을 만났다

역시 없어 부부가 되었다
깨져서 부모가 되었다
깨쳐서 아이가 커간다

저 들썩이는 엉덩이를 위하여

겨울의 꿈

가을이 돼 봐야겠다

궁금했던 적도 있었다
나는 아랑곳 없이 내내 겨울인 이유

우연일 수도 있겠으나
이제 슬픔 자체가 중요하지는 않다

내 손을 움켜잡은 봄
바닷바람같이 안겨 오는 웃음
복숭아같은 뺨에 흐르는 눈물은
완전하면서 유의미한 여름으로 자랄 수 있을 것 같다

나를 찾아온 저 봄이 여름을 지나 맞을
그 가을이 되어 봐야겠다,
저 포동한 볼이 굳센 목소리를 품을

그리고 때가 되었을 때
가을을 주고 온전한 겨울로 돌아가겠다
비로소

울음의 자리

울음은 기억이다

울음을 참으면 목이 아픈 것은
수억의 장면이 한꺼번에 막혔기 때문이다

울음의 끝을 잡고 세상에 나와 말[言]이 되었으니
다시 기억하여 끝과 끝을 묶어야
사랑에 대해 이야기할 수 있겠다

그래도 울음의 시작
사랑이 아직 목, 숨에 있다

네 울음이 다 쏟아질 때까지 나는 기다리겠다

날개의 묘墓

비상구 3층 계단
몸통만 남은 고추잠자리
계단 콘크리트 거푸집 철근이 삐져나온 것이
어릴 적 날개 자르고 놀다 죽이던 꼭 그 모양이다
오늘은 놀라지 말자 해보지만
4계절, 절기마다
얼마나 많은 것들을 죽였나

여름방학 개학식 날이면
잠자리 가득한
알록달록한 채집통을 들고 갔다
소각장에서는 며칠 동안 누린내가 났고
검은 연기 잦아질 즈음 찬바람이 불어왔다
바람이 센 날의 교실에선 꽉꽉 눌린 날갯짓 소리가 났다

뺨을 칠 듯 파르락거리던 소리 사라지고
고요히 나무들만 충혈되는 사이
이름 없는 무덤을 덮은 무덤덤한 사람의 집
그 삐죽 나온 밑에
거푸집 모르고 목 축이려 앉았다

망설임 없이 덮인
날개 잃은 어린 것들이 잠들어 있겠다

가수

— 백예린

천사가 생각했어
나는 금발이
아닌데
나는 피부가 희지 않은데
아닌데

생각하는 대로
존재된다면
음…

난 이런 목소리같은 느낌이랄까?
can i b u?

곡哭

비타500 모델은 늘 밝고
동전으로 채우기엔 상자는 지나치게 깊지

나팔꽃처럼 피고 지기를 반복하는
저녁이면 돌돌 뭉쳐있는 저 사람, 영문도 모른 채

눈의 씨앗을, 저들이 스러져 꽃가루를 대신한 뒤부터
눈 녹으면 남는 가루들은 갈수록 검고 커져 가

밥그릇을 치장하는 웃음은 해마다 너무 환해져 가고
눈 온 뒤 길가는 점점 더 뻘, 뻘

다음 겨울엔 나를 펑펑 쏟아낼지도

눈 녹은 뒤 온전한 봄을 피우도록

꽃씨 품은 눈 쏟아지던 계절이 그립다

4부

둥지

아빠 다리
품에서 영근 아이 따라 새겨진
놀다가 앉다가 다니다 잠든
반지 자국같은 자리

사람이 끊기면 시간도 멈춰
몇 년째 빈 저 둥지가 서 있는 자리는
어디나 제 새끼를 잃은 그 겨울 앞

배경들만 덜그럭거리는 꿈속
세월에 뜯긴 손가락
얼음으로 돋았다 부서진다
와르르와르르 봉분만 늘어간다

나의 구석에게

떨어지지 않는 그늘을 씻어내다 주저앉았다
그저 수챗구멍으로 콱 들어가 섞여 버렸으면

투명한 것들도 며칠이면 그늘이 되어 쌓인다고
물때들 우글거린다
가려진 숨턱밑으로 늘이기에 오는 늘
그 늘을 살아내다 당신과 아이가 보고 싶었을 때
너와 아이의 얼굴이 흐렸다

핸드폰에는 오래된 사진뿐
등장인물이 없는 추억은 없는데
나를 지나 구석에 놓인 햇살 둘

바쁘다는
아무 것도 아닌 시간들을 토해내는
다리가 12개인 거미처럼
달력에 검게 마른 하루들만 걸었다

아침, 배웅하는 오늘의 표정을, 옷차림을, 말투를 새기듯
본다

눈꺼풀에 걸어두고
다녀, 오겠다

농무 聾舞* 2024
— 개미의 춤

알람이 울린다 어제가 이어진다
반지하 천장 전등이 매어달린 침대
꿈이 돌아가고 난 텅 빈 아침
나는 붉그래한 얼굴로
반 평 편의점 식탁에서 뱃속을 푼다
답답하고 고달프고 답답하고 고달프다
열정을 앞장세워 상사 앞으로 나서면
따라붙는 건 어제 내가 분명히 안 된다고 했던 것뿐
국회의원들은 스시집 방에 서로 붙어 앉아
지들이라는 국민끼리 킬킬대는구나
매년 새해는 밝아 어떤 녀석은
꺽정이처럼 울부짖고 또 어떤 녀석은
서림이처럼 해해대지만 이까짓
책상에 처박혀 발버둥친들 무엇하랴
세금만 겨우 내는 직업 따위야
창고 캐릭터에게 맡긴 듯 시늉만 하고
로또방을 거쳐 주식앱을 켜 주저 앉을 때
나 빼고는 점점 고점을 찍는다

* 개미 롱, 춤출 무.

비트코인을 사서 나발을 불꺼나
개미춤을 추며 영혼을 끌어올거나

선물

안녕, 피터팬
오늘은 너의 백여덟 번째 생일
선물을 준비했어
그동안 네가 데려간 웬디들을 위해
검은 양초를 준비했지

피터팬의 피터팬들이 있지
넌 네버랜드에서 나오지 못한다는 걸 알아
세상에 나와 웬디를 데려갈 때마다
조금씩 늙는다는 것을
최초의 웬디는 알려주지 않았겠지
그것은 팅커벨이 준비한
은밀하고 지루한 복수
하지만, 너도 피터팬들에게는
그 사실을 알려주지 않았지
다른 피터팬들을 위한 웬디들 때문에

검은 그림자를 먼저 들여보내고
언제나 웬디에게 꿈을 노래했겠지만

그림자만큼 까만 밤하늘 넘어
둥근 무지개를 약속했겠지만
밤하늘 너머에는 밤
그 너머는 또 언제나 밤이었지

비명의 주인, 널 위해 준비했어
그림자가 더욱 무겁고 짙어지도록
언제나 환히 비출 거야

약속처럼 깨져버린 웬디를 위해

황사

간유리 같은 하늘
매연처럼 익숙한 일에
비석처럼 늘어선 빌딩들 뒤로
아이들은 누렇고 푸석한 기침을 뱉어대며 쓸쓸히 등원한다

몇몇이
여름날 구더기들처럼 덩어리져 들끓어 보았으나
높은 데 올려놓은 입들의 속성이란 오래된 방화사防火砂같
아서
무리 몇을 빠르게 던져주곤 황급히 흩어졌고
던져진 자들은 해묵은 인사를 건네는 법만 뒤적이다
상처만 조금 입은 채 미소를 벗어 던지며 무리로 돌아갔다

황사는 지나간 듯 사라진 듯, 그러나
물은 한번 지났던 곳으로만 다시 흐르는 단단한 습성을 가져
바퀴벌레가 번식하듯 흐름을 금세 낳는데

잔뜩 찌푸린 뇌의 한켠을 뒤틀며
한여름, 무덥겠다는 일기예보 대하듯

무심해져 버리고는
이내 당연해져 버리고는
다음에는 어떤 납득이 옹이처럼 박힐까

나는 습관이 무섭다

그저 보통의

광장에 시계탑이 있지
그가 가장 많이 받는 말은 hello일까 good bye일까
아무도 보든 말든
늘 가고 있는 초침과 분침은 만날 때 아플까 헤어질 때 아플까

세계 최고의 음질을 자랑하는 이어폰 끼어 봤는데
커널형이더군
노이즈를 차단하고 귓구멍을 꽉 막고 오직 목적만 전하는 거야
이어폰에서 귀로 다이렉트로

음악 너머를 생각해
한 번도 말을 나눠본 적 없지만
이 음악은 CD나 음원이 아니라
그 여러 live에 나뉘어 있을걸

너의 전부는 나뉘어 있다고 생각해도 될까
함성, 잡음, 실수와 고함, 화남과 응원까지

희미하게 들리는 아, 너의 탄식 그 방점
시계에 탑까지
귀에 사람까지
함성에 다짐까지
부분이 지닌
아무도 보지 않는 시간처럼
아랑곳 없음으로 완성되는
등대처럼

멈추지 않는 노래
그 유일한 승리를 감사해

노시인의 신간 앞

시집을 바로드림 하지 않고 구입했다

주인은 곁에 없고

서점에서 읽는 글은 공짜

가치는 전적으로 소유에 기대있지만

최선을 다해도 밀어낼 수 없는 사람이 있어 다행이다

미소는 진심의 능선을 홀로 오르고

나는 고요히 따르는 조문객

감사히도 어제와 내일을 성실히 걱정하는 눈길이 있어

걱정 한 개씩은 덜 하고 살고 있는 오늘

감히 그의 안부를 걱정하지 않는다

다만 정가를 지불하기 위해 최선을 다한다

그것이 가능한 반성의 전부일 것이다

버려진 손바닥
— 지난 이야기

*대중교통을 이용하면 인류애를 잃어버리게 된다**

자립의 최소 단위인 단어는 소리나는 대로 적되 원형을 밝혀 적고 정확한 의미를 전달하기 위해 단어는 띄어 씀을 원칙으로 한다

오천이백만 중 이천이백만이 서울, 경기에 산다

사람들이 황금보다 고향을 더 중요하게 생각한다면 세상은 지금보다 더 좋아질 거야

고향엔 일자리 없고 서울엔 우리집이 없다

내 고향은 서울

출산율 역대 최저

전세거지, 150거지

적당히 치료가 가능한, 하지만 치명적인 질병으로 좀비들을 속이면 건강한 숙주를 원하는 좀비는 덤비지 않는다

"코로나, 치료 가능하지만 영구적일 수는 없어"

---

* 이미 흔해진 이야기들.

기흉을 앓는 거리

추운 겨울이었다
잡은 손은 따뜻했고
눈물을 닦아주는 손등은 동족[凍足]에게의 방뇨放尿

작고 늘 비어있는 반지를 향하듯
각자 주머니에 손을 넣었다
따뜻했다

안녕이라고 흔드는
내일의 손바닥

청소할 힘도 없어. 흘리지 않는 게 최선.
태어나지 않을 아이야, 내 선물이 어떠니
용서는 먼저 가 있을 *지와타네호*에서 구할게

녹아내리는 내일

나는 거지가 아니다

집을 달라고 빽빽거리는 것도
생활비를 보태달라는 것도 아니다

나는 내가 가진 것에 대해 행복할 수 없게 되어 가난해졌다

금액의 문제일 뿐인, 보이는 것의 문제일 뿐인 것에
서열, 지위, 성공이란 명패가 달려

만족과 당당함을 빼앗긴 아버지가
미안하다며 고개를 떨구실 때
나는 내 아이에게 태어나지 않을 행복을 주기로 했다

그러니 돈 몇 푼, 집 한 채를 자꾸 입에 걸려 하지 마라

자꾸 나를 보지 말고
국적이 다른 네 자식을 부끄러워해라

소멸해 가는 내일의 책임을 나한테 미루지 마라

나는 구걸하지 않는다

다시, 조치원

아버지는 지금의 세종시 외곽 어디쯤이 고향이었다
조실부모하고 12살에 서울에 와서 한참은 남산에서 신문을 이불 삼아 살았다

철들 틈 없이 닥치는 대로 일을 했다
방 한 칸이 두 칸이 되고
골수가 비어가는 만큼 평수가 늘었다

시린 허리가 굽을 무렵 융자가 10년 정도 남은 아파트 거실
결혼을 하겠다고 앉아
무엇이 죄송한지 죄송하다는 자식과
무엇이 미안하신지 미안하다는 부모님

아버지는 빚과 함께 낯선 고향으로 돌아가길 결심했다
조치원을 지나 내려가는 길은
아버지가 혼자 걸어 서울로 오던 지름길이었고
작은아버지가 세탁소집 사장의 매질에 못 이겨 아버지를 찾아 나선 길이었다
쫓겨났던 길을

쫓겨 회귀하는 아버지
현실의 클리셰는 진부할수록 피할 수 없다

자주 찾아올 것 없다, 바쁠 텐데
흔들리는 손등이 서걱인다

내가 가는 곳도 서울은 아니다
이젠 거기에 아무도 살지 않는다

빈 봄

조용해졌다

죽을 만큼 죽었다는 것이다

드문드문 남아 있는 가게들
빈 점포를 지날 때
가끔 곡소리가 히끗거린다

나도 한 번 걸렸었더랬다
죽을 뻔만했다
다행히도

허파꽈리 같은 사람들이 참 많이도 사라졌다
아버지도 나도 단골인 설렁탕집도 문을 닫았다
염도 못 한 어머니가 생각나서 견딜 수가 없다고 했다

그저 바라보기만 하던 사람들은 모두 별일 없고
지옥철과 지옥버스에 몸을 싣던 사람들 드문드문해져
도미노가 모두 무너지지 않을 수 있었다

아주 많은 사람들에게
빈 자리 숭숭한 봄이 왔다

신날 수 없는 봄날이 또 하나 늘었다

태어날 때 받는 것 2

아이가 운다
가장 좋아하는 장난감이 망가져

버릴 것이라면 울 일도 없겠지

가장 아끼는 것들은
가장 먼저 다친단다

늘 손에서
순간순간을 고스란히 받아
뒤틀리고 놓치고 부딪히고

날렵했던 칼엔 테이프가 둘리고
툭툭 빠지는 무릎은 접착제로 떡지고
로켓 날개 한쪽은 사라져 버리겠지만
이전의 모습, 빈자리에 대한 기억은
환상통이 아닌 성장통

처음과 다르겠지만

고치는 법을 배우렴

조용히, 천천히 수리된 것들은
꽤 먼 시간이 흐른 뒤 속삭이지

두근두근
네게 아껴진 것들은 사라진 적 없다고

물때의 호흡법

한숨을 쉬며 화장실 청소를 했다

밤에 물때가 찾아왔다

나는 너와 너의 주변이야
너의 피부, 숨결
곰팡이와 먼지, 공중을 떠다니는 소금기
물을 탓할 필요는 없어
상류를 향하듯 혹은
어디서든 태어난 것은
물을 향해 모여들 뿐
쌓여 어두워진 것일 뿐

그럼 어떻게 하냐고 물었다

지나가는 그늘 한둘쯤은
매일 쏟아지는 것일 뿐

아침이 왔고

오늘도 오는 늘이라
아무 일도 일어나지 않을 것이지만
그늘을 그, 늘이라
한 숨 멀리 둘 수 있게 되었다

'늘'과 '틈'의 현상학現象學

전형철(시인, 연성대학교 교수)

여기 태초로부터 이어진 지상의 삶을 항행航行하는 시인이 있다. 소여所與된 모세계母世界와 존재가 자아내는 불가역의 기이한 결합 앞에 무거운 발걸음을 내딛는 그가 받은 시험지는 내남의 구별이 있는 것이 아닐 것이나 그는 이 무참한 운명이라는 위력 앞에 굴종하지 않으며 온 생을 기투한다. 청빙聽氷의 촉각과 무물無物의 응시로 무장한 그는 너른 허공을 붕유하는 자유를 꿈꾸거나 포획하지 않는다. 다만 그는 차분히 온몸으로 역풍을 견디고, 가열찬 물살을 거스르는 지난하고도 진중한 지상의 항해를 감행한다.

정우진의 첫 시집 『지구가 멈춘 순간』은 "날개 잃은 어린 것들이 잠"(「날개의 묘墓」)든 불온한 세계와 위태로움, 절망과 세계애, 희망과 불행의 모순과 부조화가 맹렬히 화학 반응하고 있는, 헨카이판(hen kai pan)을 꿈꾸는 '사랑의 변주곡'이다. 그는 삶이라는 윤곽의 모호함이 그 명확한 실체에 다가갈수록 더욱 아득해지는 균열의 세계에서 실재와 본질이 자리바꿈 되는 혼돈과 변화에 주목한다. 그리고 그는 이 자리바꿈의 시작을 예민하게 포착하여 진퇴양난의 틈바구니에서 변화의 소자素子를 정직한 자기체험을 통해 탐침한다.

태초는 변화로부터 시작된다. 정의 이전에 태초는 상상할 수 없으며, 세계는 절대적 의미에서 무無에 불과하다. 인간이 삶과 존재에 대해 인지하고 자각하는 순간 태초는 깨어지고 재정의된다. 공간이 특정되고 불가시적인 시간이 일상과 같은 소립자로부터 분열을 일으키는 순간 한 세계는 칠흑 같은 어두움을 깨고 다른 국면을 맞이하게 된다.

정우진 시인의 '지금'은 시간과 더불어 시간을 기조로 하여, 시간을 통해 형성되고 변화를 동반한다. 그 무쌍한 전변은 시간을 기억으로 재편하는 문학적 클리셰를 거부하는 시인의 1차적 고뇌의 주제로 작동한다. 그에게 지금은 태초로부터 이어진 아이온(aion)의 철학적 규정이 아니라, 매일이 카이로스(kairos)로 가득한 영겁회귀에 가까운 듯하다.

> 화가 나거나 슬프거나 우울할 땐 숲의 가장자리에 있는 우물에 갔어요 나무에 반쯤 덮인 우물은 바닥이 보이지 않았어요 우물에게 많은 이야기를 했어요 바닥이 점점 희미해져

갔지만 달리 방법이 없었지요

늘이란 말은 밀물 같습니다 말들의 총량은 언제나 그대로지요 말은 입 밖으로 나오지만 뿌리는 여전히 몸입니다 삼킨 말들이 심장을 빨아 가지를 뻗습니다

오늘, 내일을 그저 늘이라고 부르면 어떨까요
낙엽의 수고는 그 늘을 덧칠한다는 것

귀를 막으면 바람 소리가 들려요 오늘이란 말을 빨리 뱉는 연습을 해요 진정이 되지 않도록 쉬지 않고 뛰어요 우물에 도착하자마자 오늘을 뱉고 뒤돌아 귀를 막고 입을 다물어요 그날부터 돌아오지 못한 말들이 주변을 맴돌고 바람소리가 들렸습니다

광장에 모인 사람들을 기억해요 그들은 누군가 뱉어버린 오늘. 주인 없는 희망은 가지에 걸린 풍선. 눈동자가 균형을 잃고 흔들리던 때 사람들은 빠르게 그 '늘'의 균형을 맞추고 있었어요 내가 처음 갔던 날처럼 그날은 구름이 해를 가리고 있었고 이곳에선 여전히 낙엽은 녹색이었어요

입구까지 마중 나온 자는 없었어요 바닥이 멀어지는 이유는 점점 짧아지는 배웅 때문이었습니다 나는 아무렇지 않은 척 집에 와 옷을 갈아입고 창밖으로 길게 오늘을 불렀습니다 내가 들을 수 있도록 바닥이 부서지도록

—「엘리스는 왜 이상한 나라에서 돌아왔을까」 전문

시집의 모두에 선 이 가편은 시집의 서문이자 전체를 아울러 주재하는 거시적 조감을 보여준다. 지구의 반대편을 뜻하는 대척점(antipodes)이라는 단어의 철자를 바꾸어 뜻과 발음이 비슷한 반감(antipathies)이라는 단어로 표현한 원작에서처럼, "화가 나거나 슬프거나 우울할 때" 숲은 "눈동자가 균형을 잃고 흔들리"는 광장을 지나 "가 들을 수 있도록 바닥이 부서지도록" 소환되는 입구에로 재편된다. 엘리스의 모험이 "토끼굴"로의 이행이었다면 시인에게 모험은 "이상한 나라"가 아닌 '지금, 여기'에서 비롯된다. 앨리스의 존재 이유가 "이상한 나라"에 있다면, 시인의 자리는 "오늘"과 "수고"에 의해 증명되는 현실에 있다. 모험이며 동시에 지난한 삶이라는 자리에 서 있는 시인은 오늘을 호명하며 그 호명을 "내가 들을 수 있도록" "희망은 사랑처럼 결국 거울에 대고 우는 거라는"(「이안류」) 거울계로 귀환한다.

"아무렇지 않은 척" "상한 별들"(「달구멍」)이 달의 뒤로 몸을 숨기며 죽은 별들을 품는 동안 시인은 지상의 삶의 뿌리가 몸과 다르지 않은, 구별되지 않는다는 한줄기 차가운 인식에 다다른다. 그리고 시인은 마침내 "늘이란" 시간의 총량을 앞에 두고 "오늘, 내일을 그저 늘이라고 부르면 어떨까요"라고 말한다. "오늘"에서 "늘"을 분리하고 미래의 내일 또한 "늘"로 포섭하는 시인의 태도는 과거와 현재, 미래로 이어지는 도식적 시간의 경계를 부인하는 것이며, 예비된 종

말을 유예해 현실에 온 생을 투사하려는 굳은 의지의 발로일 것이다. 하여 사는 것의 수고로움은 “그 늘”을 “그늘”로 덧칠하는 것이며, “오늘도 오는 늘이라/아무 일도 일어나지 않을 것이지만/그늘을 그, 늘이라/한 숨 멀리 둘 수 있”(「물때의 호흡법」)는 일상이 아니어서 일상인, 일상이어서 일상이 아닌 시절을 맞이한다.

> 한낮의 대로는 골목 같습니다 어두워진다는 것은 발자국들이 쌓이는 것 검정은 무서워요 상태니까요 틈과 틈, 시간은 너무 멀리 있습니다 청소차는 동네마다 지나는 때가 다르지만 언제나 경계입니다 어제와 내일 사이 미어터지는 여백들은 오늘을 감당해왔습니다 같은 시간에도 길이와 진하기가 다른 그림자는 저들의 뒷굽이 왜 서로 다른지를 말해줍니다 나무들 흐느적거리는 대낮 고장난 강성剛性때문에 거리는 환상통들로 번쩍입니다 흰 거리를 박박 채우면 여백은 스스로 마침표가 될까요 거리는 서로 번쩍이는 것들끼리 가로막아 그늘집니다 긁힌 틈으로 새어나오는 색들을 봅니다 질끈 집에 들어가기 전 삼켰던 말들이나 떼를 쓰다 주저앉은 복숭아 자국 때문에 명치가 출렁여요 검은 물이 흘러요 시끄럽습니다 소리를 지르려 나왔지만 걷기만 합니다 눈을 감으면 보이는 것은 내가 볼 수 있는 유일한 나의 안 여러 겹의 흰 거리를 꾹꾹 채우면 틈새는 스스로 별이 될까요 낮의 골목은 대로 같습니다 어두컴컴 나는 눈을 감고 있어요 아마도
>
> —「골목의 폐업」 전문

“나의 현재는 감각인 동시에 운동”(『물질과 기억』)이라는 베르그송처럼 ‘틈’의 탐색은 시인의 특유한 감각의 소산이라고 할 수 있다. “대로”와 “골목”, “한낮”과 “어두워진다는 것”의 대비와 교차구조는 삶의 구성이자 시의 힘줄이며 그 자체로 하나의 ‘상태’이다. 하나의 상태인 까닭에 현실태(actuality)로써 시인은 그것을 다시 ‘사태’로 보고, “동네마다 지나는 때가 다르다는” 청소차의 포착을 통해 반복적 리토르넬로(ritornello) 속 차이를 발견한다. 일상은 반복이며 상태이지만 시간의 틈, 다시 길의 이체異體로 공간화된 틈은 “같은 시간에도 길이와 진하기가 다른 그림자는 저들의 뒷굽이 왜 서로 다른지를 말해”준다. 반짝이는 것들이 가로막아 생기는 그늘은 어쩌면 우연이라 여겨지지만 치밀하게 계획된 질서일지도 모른다. 그렇게 시인은 삶의 “틈새”가 별이 되어 오늘의 “늘”과 지상의 새로운 별자리의 씨줄과 날줄이 되기를 소망하며 “눈을 감고” “나의 안” 들여다본다. “소리를 지르려 나왔지만 걷기만”하는 시인은 시간과 공간의 기묘한 교차 속에 “유일한 나”를 발견한다.

종점과 종점을 지납니다 수신지가 먼 편지처럼 행선지를 알고 있는 눈송이들은 급히 쏟아지는 법이 없습니다 바람이 긴 손을 건넵니다 적막寂寞이 소름을 떨굽니다

만월이 우각호牛角湖를 넘습니다 달빛을 덮고 잠이 든 민달팽이처럼 아침부터 눈 밑이 떨렸습니다 마지막으로 들은 그

녀의 말이 눈동자를 찢고 돈아납니다 안타까워하던 눈빛이
우리의 마지막 여름이었습니다

〈중략〉

익숙한 장소의 주소를 외는 것은 어색하지만 새봄을 품은
화석은 없습니다 맹렬히 돌고 있던 나는 나침반의 바늘이었
습니다

별자리는 주인보다 먼저 생기는 무덤
오래된 무덤과 빈집에선 같은 냄새가 납니다
후천적으로

—「호모 비아토르」 부분

시간와 공간의 교차에 대한 시인의 감각은 이 시에서 보다 웅숭깊게 구현된다. 시인은 지금 "행선지를 알고 있는 눈송이"처럼 "종점과 종점" 어딘가를 경유하고 있다. 그의 여행은 이쪽 종점과 저쪽 종점의 위치가位置價나 방향성의 문제가 아니라 노정 위에 있다는 데 방점이 있다. "종점과 종점"은 공간으로 인식되지만 그 틈을 구획하고 있는 것은 시간이다. 지상의 삶은 느리고 때론 적막하기 그지없지만 "살기 위해 먹는 것에/ 사는 기쁨을 더하려는 정성"(「백반」)이 가득한 "만월"은 "마지막 여름"을 지나 우각호를 지난다. "안타까웠"으나 화양연화花樣年華의 시절은 "오래된 무덤"의 덧없음과 "빈집"의 공허와 더불어 하나의 별자리로 자리매김한다. 극

極을 가리킴으로 의미를 얻는 나침반과는 달리 '호모 비아토르' 여행인간은 '맹렬히 돌기'를 통해 존재를 수승하게 돌려 세운다. 이 아름다운 여행은 운명에 붙들린 것이 아니라 "후천"에 의한 것이며 그가 닿는 세상의 모든 기항지들은 "유난히 붉은 나무들"처럼 "살아 있는 구석"(「자가면역질환」)에 물들고 있다.

그리고 시인은 그 모든 것들의 틈, 한 순간을 궁구한다.

이 세계의 모든 것
지나는 사람들의 들숨과 날숨
놀이터를 채우던 웃음
바람이 구름을 스윽 쓸거나
자전과 공전이 만드는 백색소음같은 것들이
잠깐 멈추는 그런 때

그것은 누군가에게는 정말 사랑받던 사람이 사라진 순간
지하철이나 신호등 같은 데서 지나친
나라는 전체의 일부가 된 사람의 숨이 사라져
잠시, 나를 이루고 있는 모든 흐름들이
내가 수정되기 직전의 그때로 돌아간
묵념의 시간

사라진 이가
어제 보았던 작은 고양이

신호를 기다릴 때 보았던
가지가 다 잘린 플라타너스
한참 보지 않았던
어떤 시인이 아니기를
내 소중한 사람들을 돌이켜보기도 하고
어딘가 전화를 하기도 하는

지구 위의 그늘이 잠시 투명해지는 순간

—「지구가 멈춘 순간」 전문

시인이 딛고 선, 여행이라 명명한 이 세계에서의 수행은 "잠깐 멈추는 그런 때" 진실을 드러낸다. "사람들의 들숨과 날숨", "놀이터를 채우는 웃음"과 바람, 구름과 지구의 운행이 만드는 소리의 틈, 그 찰나의 파문 속에 결속된 우주의 본모습과 삶의 본체가 외피를 벗고 드러난다. 사랑받고 사랑하던 "사라진 이가 보았던 작은 고양이"라는 과거와 전체인 나와 그로 인해 규정된 타자의 "숨"이라는 현재, 소중한 사람을 소환해 미래의 어딘가를 타진하는 예지를 파지(retention)하고 있는 이 시는 시간에 기저한 시적 인식의 궁극적 구근이자 더는 보이지 않았던 진실의 응답이다. '지구 위의 그늘'은 그렇게 투명하게 한 순간에 침잠해 "틈에서 틈으로 길을"(「습벽의 숲」) 예비한다. 시간의 판단중지(epoche)와 블랙홀처럼 응축된 세계는 "지구가 멈춘 순간", 경계와 인식의 귀퉁이가 조금씩 허물어진다.

흙은 뿌리와 친하다
뿌리는 흙에게 친절하다
흙에게는 양분이 있고
뿌리는 결코 양분을 전부 갖지 않는다
아무것도 없는 흙은 흙이 아니므로
흙이 아닌 곳에 뿌리는 없으므로
순이나 열매 몇
순종적인 어린 죽음으로 양분의 일부를 되돌린다
흙 위로 흙의 넓이만큼 나무가 자라는 법은 없다
나무는 나무끼리 식육목食肉目처럼
서로의 영역에 충실하다
나무들은 위로 자라고
뿌리는 흙만큼 깊고 평평하게 뻗어나간다
흙에는 높이가 없다
0부터 시작된다면
흙의 최대 높이는 0이다
가끔 우리가 산이라 부르는 꼭대기의 흙도
0이다
흙은 뿌리와 친하다
뿌리는 흙에게 필요한 만큼 친절하다
바람은 양분의 빈자리에만 허락돼
흙의 동맥에는 여우별이 반이다
흙에게는 암수가 없다
흙에게서 어머니를 상상하지만
스스로 성별을 가진 적은 없다

흙은 스스로를 키운 적이 없고
여기저기서 한데 모인 것들
흙이라 불린다
그래서
흙은 자신을 본뜬 새끼를 낳아 기른 적이 없다
무한한 가능성
이 유일하면서 슬픈 정체正體위에서
나무가 자라고
건물이 오르고
사람들이 다닌다

—「흙과 뿌리의 교우록」 전문

시인이 다다른 곳과 그가 가는 곳 모두를 아우르는 시이다. 주어진 세상에 의혹을 제기하며, 끊임없이 시간과 공간의 미세한 틈과 주름을 분절하고 추척한 그는 이제 불이不二와 무애無碍의 지경에 도달한 듯하다. "종점과 종점" 사이 "흙과 뿌리의 거리"에서 시인은 "끝과 끝을 묶어야" 완성되는 "사랑에 대해 이야기 할 수 있"(「울음의 자리」)게 된 것이다.

그가 온 존재를 밀어붙여 다다른 이 우로보로스(Ouroboros)의 시세계는 "무한한 가능성"으로 충만하다. 흙과 뿌리는 "높이"도 없이 "암수"의 구별도 없이 "스스로의" 각성도 없이 "깊고 평평한" 생이불유生而不有의 무명無名과 유명有名(『도덕경』, 51장)의 지혜를 훈습한다. '아래로 자라는 것이 위로 자라는 것'이듯, '하얀 고요 속에 새가 바람의 소리로 울' 듯이(「소리는 자란다」) "나무가 자라고 건물이 오르고 사람들이 다닌다".

시인의 교우는 또는 교유는 '지구가 멈춘 순간'에 "한데 모인다". 그리고 이 "유일한" 순간에 맥동처럼 번지는 "슬픈 정체正體"를 지나치지 못한다.

아버지는 지금의 세종시 외곽 어디쯤이 고향이었다
조실부모하고 12살에 서울에 와서 한참은 남산에서 신문을 이불 삼아 살았다

철들 틈 없이 닥치는 대로 일을 했다
방 한 칸이 두 칸이 되고
골수가 비어가는 만큼 평수가 늘었다

시린 허리가 굽을 무렵 융자가 10년 정도 남은 아파트 거실
결혼을 하겠다고 앉아
무엇이 죄송한지 죄송하다는 자식과
무엇이 미안하신지 미안하다는 부모님

아버지는 빚과 함께 낯선 고향으로 돌아가길 결심했다
조치원을 지나 내려가는 길은
아버지가 혼자 걸어 서울로 오던 지름길이었고
작은아버지가 세탁소집 사장의 매질에 못 이겨 아버지를 찾아 나선 길이었다
쫓겨났던 길을
쫓겨 회귀하는 아버지
현실의 클리셰는 진부할수록 피할 수 없다

자주 찾아올 것 없다, 바쁠 텐데
흔들리는 손등이 서걱인다

내가 가는 곳도 서울은 아니다
이젠 거기에 아무도 살지 않는다

—「다시, 조치원」 전문

정우진 시인이 세계 내 실존의 분투를 감내한 것은 인자人子의 슬픔과 상처를 어떻게 매만질 것인가에 대한 부단한 고뇌에 뿌리를 두고 있다. 익숙한 것에서 균열을 발견하고 재정비하는 사유의 전환을 보여준 그의 시편들의 가장 깊은 마그마에는 피할 수 없이 '진부한 현실의 클리셰'가 작동하고 있다. 그럼에도 시인은 "만족과 당당함을 빼앗긴" 떨군 고개(「녹아내리는 내일」)와 "죄송"과 "미안"이 중첩된 "반지 자국 같은 자리"에 드리운 "그 늘을 살아내는 당신과 아이"의 잔상 속에서 "구걸하지 않는다"(「나의 구석에게」). 그리고 현실의 클리셰에 매몰되지 않기 위해 "다시" 시간의 편력을 거슬러 올라 그 정체를 되짚는다. "깨져서 부모가 되었다/깨쳐서 아이가 커간다"(「생활의 발견」)는 "깨짐"에서 "깨침"의 이행이 그의 시와 생을 가로질러 "희망에 의해 아직 나는 죽지 않았"(「햇살의 로드킬」)다는 진언으로 공명한다.

시인은 절망했으나 망명하지 않음으로 세계와 현실과 존재라는 삼각형의 새로운 규율을 발견한다. 그리고 '틈'과 '늘'의 교유와 변주를 통해 이룩한 미학적 성취를 '지금, 여기'에

부려놓는다. 시인은 그렇게 "멍든 그늘을 뚫고 피어나는 한 송이"(「꽃의 나이테」) 당신과 "늦게 핀 벚꽃을 걱정하며"(「사건의 지평선」) "까마득한 칠흑을 건너"(「꽃의 나이테」) 고 있다.

정우진

2016년 『서정시학』으로 등단.
가천대학교 국어국문학과 졸업. 동대학원 문학 박사.
서정시학회 동인.
nabalbass@naver.com

서정시학 시인선 217

지구가 멈춘 순간

2024년 7월 10일 초판 1쇄 발행

지 은 이 · 정우진
펴 낸 이 · 최단아
편집교정 · 정우진
펴 낸 곳 · 도서출판 서정시학
인 쇄 소 · ㈜ 상지사
주 소 · 서울시 서초구 서초중앙로 18, 504호 (서초쌍용플래티넘)
전 화 · 02-928-7016
팩 스 · 02-922-7017
이 메 일 · lyricpoetics@gmail.com
출판등록 · 209-91-66271

ISBN 979-11-92580-38-8 03810

계좌번호: 국민 070101-04-072847 최단아(서정시학)
값 13,000원

서정시학 시인선

001 드므에 담긴 삽 강은교, 최동호

002 문열어라 하늘아 오세영

003 허무집 강은교

004 니르바나의 바다 박희진

005 뱀 잡는 여자 한혜영

006 새로운 취미 김종미

007 그림자들 김 참

008 공장은 안녕하다 표성배

009 어두워질 때까지 한미성

010 눈사람이 눈사람이 되는 동안 이태선

011 차가운 식사 박홍점

012 생일 꽃바구니 휘 민

013 노을이 흐르는 강 조은길

014 소금창고에서 날아가는 노고지리 이건청

015 근황 조항록

016 오늘부터의 숲 노춘기

017 끝이 없는 길 주종환

018 비밀요원 이성렬

019 웃는 나무 신미균

020 그녀들 비탈에 서다 이기와

021 청어의 저녁 김윤식

022 주먹이 운다 박순원

023 홀소리 여행 김길나

024 오래된 책 허현숙

025 별의 방목 한기팔

026 사람과 함께 이 길을 걸었네 이기철

027 모란으로 가는 길 성선경

029 동백, 몸이 열릴 때 장창영

030 불꽃 비단벌레 최동호

031 우리시대 51인의 젊은 시인들 김경주 외 50인

032 문턱 김혜영

033 명자꽃 홍성란

034 아주 잠깐 신덕룡

035 거북이와 산다 오문강

036 올레 끝 나기철

037 흐르는 말 임승빈

038 위대한 표본책 이승주

039 시인들 나라 나태주

040 노랑꼬리 연 황학주

041 메아리 학교 김만수

042 천상의 바람, 지상의 길 이승하

043 구름 사육사 이원도

044 노천 탁자의 기억 신원철

045 칸나의 저녁 손순미

046 악어야 저녁 먹으러 가자 배성희

047 물소리 천사　김성춘

048 물의 낯에 지문을 새기다　박완호

049 그리움 위하여　정삼조

050 샤또마고를 마시는 저녁　황명강

051 물어뜯을 수도 없는 숨소리　황봉구

052 듣고 싶었던 말　안경라

053 진경산수　성선경

054 등불소리　이채강

055 우리시대 젊은 시인들과 김달진문학상　이근화 외

056 햇살 마름질　김선호

057 모래알로 울다　서상만

058 고전적인 저녁　이지담

059 더 없이 평화로운 한때　신승철

060 봉평장날　이영춘

061 하늘사다리　안현심

062 유씨 목공소　권성훈

063 굴참나무 숲에서　이건청

064 마침표의 침묵　김완성

065 그 소식　홍윤숙

066 허공에 줄을 긋다　양균원

067 수지도를 읽다　김용권

068 케냐의 장미　한영수

069 하늘 불탱　최명길

070 파란 돛　장석남 외

071 숟가락 사원　김영식

072 행성의 아이들　김추인

073 낙동강 시집　이달희

074 오후의 지퍼들　배옥주

075 바다빛에 물들기　천향미

076 사랑하는 나그네 당신　한승원

077 나무수도원에서　한광구

078 순비기꽃　한기팔

079 벚나무 아래, 키스자국　조창환

080 사랑의 샘　박송희

081 술병들의 묘지　고명자

082 악, 꽁치 비린내　심성술

083 별박이자나방　문효치

084 부메랑　박태현

085 서울엔 별이 땅에서 뜬다　이대의

086 소리의 그물　박종해

087 바다로 간 진흙소　박호영

088 레이스 짜는 여자　서대선

089 누군가 잡았지 옷깃　김정인

090 선인장 화분 속의 사랑　정주연

091 꽃들의 화장 시간　이기철

092 노래하는 사막　홍은택

093 불의 설법　이승하

094 덤불 설계도　정정례

095 영통의 기쁨 박희진
096 슬픔이 움직인다 강호정
097 자줏빛 얼굴 한 쪽 황명자
098 노자의 무덤을 가다 이영춘
099 나는 말하지 않으리 조동숙
100 닥터 존슨 신원철
101 루루를 위한 세레나데 김용화
102 골목을 나는 나비 박덕규
103 꽃보다 잎으로 남아 이순희
104 천국의 계단 이준관
105 연꽃무덤 안현심
106 종소리 저편 윤석훈
107 칭다오 잔교 위 조승래
108 둥근 집 박태현
109 뿌리도 가끔 날고 싶다 박일만
110 돌과 나비 이자규
111 적빈赤貧의 방학 김종호
112 뜨거운 달 차한수
113 나의 해바라기가 가고 싶은 곳 정영선
114 하늘 우체국 김수복
115 저녁의 내부 이서린
116 나무는 숲이 되고 싶다 이향아
117 잎사귀 오도송 최명길
118 이별 연습하는 시간 한승원
119 숲길 지나 가을 임승천
120 제비꽃 꽃잎 속 김명리
121 말의 알 박복조
122 파도가 바다에게 민용태
123 지구의 살점이 보이는 거리 김유섭
124 잃어버린 골목길 김구슬
125 자물통 속의 눈 이지담
126 다트와 주사위 송민규
127 하얀 목소리 한승헌
128 온유 김성춘
129 파랑은 어디서 왔나 성선경
130 곡마단 뒷마당엔 말이 한 마리 있었네 이건청
131 넘나드는 사잇길에서 황봉구
132 이상하고 아름다운 강재남
133 밤하늘이 시를 쓰다 김수복
134 멀고 먼 길 김초혜
135 어제의 나는 내가 아니라고 백 현
136 이 순간을 감싸며 박태현
137 초록방정식 이희섭
138 뿌리에 관한 비망록 손종호
139 물속 도시 손지안
140 외로움이 아깝다 김금분
141 그림자 지우기 김만복
142 The 빨강 배옥주